D0682999

L'EAU
DE POLGOK-SA

Roch Carrier

Éditions Paulines

DU MÊME AUTEUR
DANS LA MÊME COLLECTION:

Ne faites pas mal à l'avenir

La fleur et autres personnages

Enfants de la planète

Composition et mise en page: *Les Éditions Paulines*

Illustration de la couverture: *Caroline Merola*

ISBN 2-89039-031-4

Dépôt légal — 4e trimestre 1989
Bibliothèque nationale du Québec
Bibliothèque nationale du Canada

© 1989 Les Éditions Paulines
         3965, boul. Henri-Bourassa Est
         Montréal, QC, H1H 1L1

Deux acteurs tchécoslovaques dans une boîte

— Le ciel de la Tchécoslovaquie serait si beau s'il n'y avait pas ces maudits avions russes!

Un délégué du parti communiste fit cet aveu renversant, un soir, après quelques verres de vodka, lorsqu'il causait avec des acteurs et un auteur canadiens.

La Tchécoslovaquie était occupée par la Russie, comme aujourd'hui. Les avions russes surveillaient le ciel. Des colonnes de soldats russes défilaient dans les rues, séduisants robots. Dans les cafés, les tavernes, quand des soldats russes se montraient, on ne dis-

cutait plus qu'à voix basse. Des murs
dressés dans les campagnes ici et là
cachaient des camps militaires russes.
Dans les hôtels, des micros étaient
cachés dans les chambres pour épier les
conversations.

La Tchécoslovaquie est un beau pays
avec ses immenses plaines, sans clô-
tures, où les hommes et les femmes,
également, travaillent dans les fermes
collectives. Magnifique pays avec ses
villes paisibles et ses clochers à qui
l'Orient parfois suggère ses formes, la
Tchécoslovaquie est superbe surtout
par ses habitants; intelligents, spiri-
tuels, ingénieux, pacifiques: ils n'ont
jamais envahi un pays. Prague, sa capi-
tale, est la plus belle ville du monde!
Inoubliable, la beauté de la rivière Vlta-
va et de ses ponts! Infinie, la diversité
de ses édifices dessinés avec une déli-
catesse baroque! Envoûtant, le laby-
rinthe de ses rues qui s'emmêlent dans

les collines, entre les tours et les clochers.

Ce soir-là, le *Théâtre du Nouveau Monde,* venu du Canada, jouait à Prague, devant une salle bondée. Les Praguois sont de grands amateurs de théâtre. Parmi les spectateurs était assis l'auteur de la pièce, très attentif au travail des acteurs et des techniciens.

Tout à coup, au moment où, dans une atmosphère de tristesse, devaient entrer deux acteurs, il en vit arriver quatre. Cela n'était pas dans le texte! La pièce avait été jouée des dizaines de fois mais pas de cette manière! Il n'avait jamais vu ces deux acteurs supplémentaires qui jouaient comme des sacs de farine. Leur costume était trois fois trop grand. Il dut se retenir de leur crier de déguerpir! Ces fantoches, ces pantins n'auraient pas dû être sur la scène. Pourtant ils y étaient, ridicules comme des dindes sur une patinoire.

Finalement, en colère, l'auteur se précipita vers l'arrière-scène. L'on devrait lui expliquer cette blague qui n'était pas drôle. Ces deux acteurs superflus avaient torpillé un grand moment de tragédie!

Sans laisser à l'auteur le temps de pousser le premier cri de sa colère, Rouget, le directeur de scène, l'embrassa si fort qu'il l'étouffa presque.

— Attention, il est de la police! crachota-t-il à son oreille.

En même temps il le poussa vers un long homme maigre, vêtu de noir:

— Monsieur, je vous présente l'auteur de la pièce. Il a lu Karl Marx, lui. Il est quasiment communiste.

Le message de Rouget n'était guère subtil… L'auteur comprit… Il assura l'homme de la police que nos acteurs trouvaient à Prague une inspiration particulière, «conséquence de la longue tradition du théâtre tchécoslovaque»…

L'auteur mentit aussi longtemps qu'il le fallut. Le policier en civil, fatigué de l'entendre, s'en alla et l'auteur retourna à son fauteuil, dans la salle. Il souffrit le martyre encore deux ou trois fois, quand il vit entrer en scène les deux énergumènes, qui ne savaient pas où ils étaient.

Que se passait-il? La représentation finie, après avoir subi la torture de voir les deux acteurs supplémentaires saluer au rideau, l'auteur courut à Rouget.

Son visage, toujours coloré rouge, était pâle:

— Pas de questions... La police est revenue. Ils ont des doutes...

— Des doutes... répéta l'auteur. Les acteurs de la troupe étaient tout aussi intrigués que l'auteur. S'ils ne pouvaient comprendre les manœuvres de l'énigmatique Rouget, ils décidèrent cependant de respecter sa consigne.

Sans doute se passait-il quelque chose. Mais quoi? Qui étaient ces faux acteurs? Quel était leur rôle?

Les décors furent démontés, les valises et les caisses remplies, refermées. Les camions se dirigèrent vers l'aéroport. Le lendemain, le Théâtre du Nouveau Monde rentrait au Canada.

Rouget, dans l'avion, était nerveux comme un mari à l'accouchement de sa femme. Il ne buvait que de l'eau malgré sa conviction profonde que l'on doit éviter l'eau à cause de la pollution. Qu'était-il arrivé à Prague?

Après que tous les membres de la compagnie, toutes les valises, tous les sacs, toutes les caisses, tous les coffres eurent franchi la douane canadienne dûment munis de tous les documents, tous les timbres, toutes les signatures, tous les sceaux, la troupe monta dans l'autobus. Rouget alors, détendu, le visage de sa rougeur habituelle, s'empara du microphone:

— Vous souvenez-vous des acteurs supplémentaires que certains ont vus sur la scène à Prague?

— NON, crièrent en chœur les acteurs, pour le taquiner.

Rouget ne se laissa pas désarmer:

— Est-ce que vous aviez bu trop de vodka pour vous souvenir?... Vous rappelez-vous, sur la route de Banská Bystrica, on a visité une caverne?

Un «NON» unanime, puissant, jaillit comme un rire de la poitrine des membres du Théâtre du Nouveau Monde. Rouget resta solide.

— Vous souvenez-vous, on a descendu une rivière souterraine dans des barques? Puis on est arrivé à une grande grotte aussi grande qu'une cathédrale... (*Des rires de protestation*). Un peu moins grande... Les stalactites brillaient comme des gros diamants. Vous vous souvenez, le guide a annoncé qu'il fermait l'éclairage pour quelques secondes? Alors, c'était la nuit totale. C'était la nuit comme avant la création du monde. On ne pouvait pas apercevoir la forme de sa propre main. Vous vous souvenez? Il faisait si noir que personne n'osait parler. Je pense que chacun de nous avait peur. Nous étions vraiment perdus au centre de la terre. Le guide a dit: «Si le système électrique faisait défaut, personne ne pourrait survivre seul. Il faudrait s'entraider.» Ces paroles m'ont touché.

La Tchécoslovaquie, occupée par les Russes, est un pays sans liberté, sans indépendance. Un pays sans indépendance est un pays où la nuit n'a pas d'étoiles, c'est un pays dans un trou noir. Alors pour qu'il survive, il faut l'aider.

La troupe écouta Rouget; tous étaient surpris de l'entendre parler avec tant d'abondance, lui qui avait l'habitude de pousser des grognements entre deux jurons.

— Il faut aider les gens qui sont dans un trou noir. Le soir de Prague... avant la représentation... Vous étiez dans vos loges pour vous maquiller, vous costumer... Nous, les techniciens, on ajustait l'éclairage, on calait le décor, on plaçait les meubles, on ajustait le son. On était en regard. C'était un de ces soirs où tout allait mal. C'est dans ce temps-là que les spectacles sont les meilleurs. J'essayais d'être partout à la fois, mais il aurait fallu être le bon Dieu pour m'occuper de tous les problèmes. Pendant que je parlais à l'éclairagiste dans son échelle, j'entends:

— Êtes-vous canadien, Monsieur?

— Oui, que j'ai répondu sans regarder qui me parlait.

— Alors cachez-nous!

— Quoi?

— Cachez-nous vite!

— Cachez-nous parce qu'ils vont venir.

— Pourquoi est-ce que je vous cacherais?

— Parce que vous êtes canadien...

Qu'est-ce que je pouvais faire? Je les ai cachés. À l'arrière-scène. C'était un garçon et une fille: 16-17 ans.

J'ai dit:

— Entrez dans la caisse et disparaissez derrière les costumes qui pendent.

Qui étaient ce garçon et cette fille? Quand il y a eu un moment d'accalmie, je suis entré dans la boîte aux costumes et j'ai dit au garçon et à la fille — une jolie fille et un joli garçon, polis, propres, bien habillés:

— Qui est-ce que vous êtes?

— Ne parlez pas si fort, il y a la police.

— La police! Je veux pas voir la police ici. J'ai assez de problèmes sans la police. Comment vous appelez-vous?

— Moi je suis Magda, et lui c'est Jan.

— Qu'est-ce que vous voulez?

— On veut aller au Canada!

— C'est loin le Canada, que j'ai dit. Vous feriez mieux de rester avec vos parents.

— Notre père est au Canada.

Ils chuchotaient. Ils avaient vraiment peur d'être entendus.

— Et votre mère, elle est aussi au Canada?

— Non, dit la jeune Magda, notre mère est en Tchécoslovaquie, mais elle est au cimetière.

À ce moment-là, le gros Assiniwi répétait son entrée en scène. Comme il est plus large que la porte, il s'est «encarcané» dans l'embrasure.

— Épargne-nous les détails; aujourd'hui la journée n'a que 24 heures! lança Garand en lissant sa moustache.

Rouget reprit:

— Si Magda et Jan voulaient aller au Canada c'est pour voir leur père qui est au Canada. C'était mon raisonnement logique.

Une explosion de rire fit se bomber les parois de l'autobus qui roulait dans la rue Sainte-Catherine.

— Si vous vous moquez de moi, je ne termine pas mon histoire...

— On aimerait mieux que tu la chantes! dit Perraud.

— Ce qui est arrivé, poursuivit Rouget, imperturbable, c'est que le père de Jan et de Magda avait réussi à se sauver de la Tchécoslovaquie, après l'arrivée des Russes. Il travaillait pour le gouvernement comme ingénieur chimique; il a été envoyé à Londres en mission et il a décidé de rester dans un pays libre. Aussitôt, il s'est dirigé vers le Canada. Sa femme, la mère de Magda et de Jan, n'était même pas au courant de son projet d'évasion. L'intention du père des enfants était de faire venir sa famille au Canada. Le gouvernement n'avait pas le même plan. Pour punir le fonctionnaire de l'État, les autorités n'ont pas autorisé Magda, Jan ni leur mère à aller le rejoindre. Le père a vécu au Canada. Sa femme et ses enfants ont vécu en Tchécoslovaquie. Quand leur mère est morte dans un accident d'auto, leur père n'a pu obtenir l'autorisation de revenir dans son pays. Je crois que les Terriens devraient avoir le droit d'aller partout où ils veulent parce que leur pays, c'est la Terre...

J'ai écouté jusqu'au bout l'histoire de ces enfants-là. Je sentais qu'ils disaient la vérité. J'ai pas braillé, mais j'ai retenu mes larmes. À la fin je leur ai dit avec le cœur qui cognait:

— Je vais vous payer vos deux billets d'avion!

— Ils ne nous laisseront pas sortir de
la Tchécoslovaquie.

Le rideau de scène allait bientôt se
lever sur la pièce de notre auteur. Je
pouvais rester avec eux à causer. Je leur
ai dit:

— Si vous craignez la police, restez
cachés dans la caisse aux costumes.

La représentation était à peine com-
mencée quand j'ai vu apparaître un
grand maigre, sec, habillé de noir comme un croque-mort: c'était un policier.
Il parlait pas. Il sentait. Il flairait. Alors
j'ai écrit une note sans trop de fautes
et je l'ai glissée à Magda et Jan: «Ha-
billez-vous avec les costumes.» Le policier ne bougeait pas, il attendait.

Les minutes m'ont paru longues. J'ai
essayé de le distraire en l'invitant à voir
le spectacle. C'était pas un amateur de
théâtre. Puis j'ai vu apparaître Magda
et Jan costumés en fermiers beauce-
rons.

— C'est bientôt à vous! que j'ai dit.
Puis, j'ai dit au policier:

— Si vous voulez faire une petite inspection, faites comme chez vous...

Il bougeait pas. Il flairait. Il analysait l'odeur des deux enfants. J'ai décidé de les envoyer sur la scène.

Et j'ai poussé Jan et Magda, comme on pousse les parachutistes qui font leur premier saut. Les deux jeunes Tchécoslovaques se sont trouvés, en un instant, au Canada, dans la Beauce québécoise, en 1940, au milieu d'une veillée funéraire. Ils ont fait ce qu'ils ont pu. Quand ils sont revenus dans la coulisse, le policier était parti. Il avait inspecté nos caisses, nos valises d'un œil méfiant.

Naturellement, vous êtes venus vous plaindre des mauvais acteurs qui faisaient de la figuration!

Mais j'ai gardé mon secret. Je l'ai

même pas partagé avec l'auteur. C'est pas par manque de confiance...

Des cris d'incrédulité protestèrent ici et là, mais Rouget trancha:

— Les grands faits d'armes se préparent dans le plus grand secret... a dit... Napoléon Bonaparte... Après la représentation de Prague, vous avez eu une réception, un grand dîner, vous avez bu de la vodka. Moi, j'ai travaillé à ma manière et j'ai préparé le plus beau spectacle de toute l'Amérique.

Je vous invite à venir assister, au débarcadaire du Théâtre, à l'ouverture d'une caisse. Vous allez avoir votre surprise... Merci de votre bonne attention.

La troupe applaudit Rouget. Jamais il n'avait été si éloquent ni si mystérieux.

Qu'il était bon de respirer l'air de Montréal! Qu'il était bon de fouler le sol de Montréal! Le camion se rangea le long du débarcadaire. L'on rabattit

la porte arrière. Rouget se précipita,
un arrache-clou à la main. Avec un
empressement extrême, il arracha un
des côtés d'une caisse. Parmi les meubles, les accessoires entassés et tout le
bataclan théâtral, on vit se lever,
engourdis, étourdis, une jeune fille et
un jeune homme.

— Voici vos comédiens préférés:
Magda et Jan!

La plupart des membres de la troupe
étaient des acteurs, mais leurs larmes
étaient de vraies larmes, pleurées par
des hommes et des femmes qui voyaient
une tragédie se terminer, par miracle,
en une scène heureuse. Rouget tendit
à Magda et Jan, un téléphone:

— Appelez votre père!

— Quelle tombée de rideau, dit
l'auteur.

L'eau de Polgok-sa

Le soleil est beau sur la Corée, aujourd'hui. Jamais ils n'ont vu les forsynthias si jaunes, ni les saules si brillants. Le soleil sourit. Leur bonheur est trop grand. Ils sentent leur corps trop petit pour le contenir. Jamais ils n'ont imaginé que cette belle cérémonie du mariage les comblerait d'une telle joie. Vivent-ils un rêve?

Ils ont 20 ans. Jong-Ryol est mécanicien-vérificateur dans une usine de voitures; Hae-sung est opératrice d'ordinateur à la même entreprise. Ils se sont mariés pendant leur semaine de congé annuel. Aujourd'hui, dernier jour de vacance, ils visitent le temple de Polgok-sa, tout près de la ville de Kyongju.

Ils ne sont jamais allés dans cette ville célèbre où survit le passé prodigieux. Main dans la main, Jong-Ryol et Hae-sung visitent le parc des Tombes. C'est un grand jardin vert tout bosselé de collines rondes. Ces tumulus recouvrent des tombeaux construits pour des rois, des reines et des princes ensevelis il y a plus de 16 siècles. Jong-Ryol et Hae-sung marchent avec beaucoup de respect dans ce grand cimetière sans monuments. Ils savent que ces rois, ces reines et ces princes ne sont pas vraiment morts. Les ancêtres disparus règnent encore sur la Corée. Leur âme vit toujours. Jong-Ryol prend beaucoup de photographies. Devant le tombeau de Chonma-chong, tous les deux décident d'entrer voir le roi inhumé avec ses trésors, pierreries et bijoux, sous une colline de cailloux entassés.

Jong-Ryol porte un costume occidental sombre. C'est Hae-sung qui sera belle sur les photographies! Elle a revêtu le costume traditionnel de soie aux couleurs vives. Sa blouse est décorée d'un large nœud papillon aux queues très longues. Sa jupe frôle le sol alors que la ceinture remonte sous les aisselles. La *jhogori* (blouse) est rose et la *chima* (jupe) est bleue. Hae-sung est chaussée de *go mu shin* qui ont la forme de sabots. Avec son joli visage maquillé de rose et ses cheveux noirs, elle ressemble à une fleur d'un jardin magique. Jong-Ryol lui tient doucement la main, comme on tient une fleur fragile.

À pas lents, ils se dirigent près du musée pour admirer la cloche qui appelle: «Maman!» Cette célèbre cloche fait la hauteur de deux hommes au moins. Elle a été coulée il y a plus de dix siècles. On ne la fait tinter qu'une

fois l'an. Sa voix ressemble à celle d'un
enfant qui appelle sa mère.

Le guide raconte la légende de la cloche. Il donne beaucoup de détails.
L'histoire est trop tragique. Des larmes
coulent sur les joues roses de Hae-sung.
Jong-Ryol, lui, garde les yeux secs.
C'est une histoire très dure, mais la vie
des Coréens a toujours été difficile.
Jong-Ryol est trapu, tout en muscles,
prêt à bondir s'il le faut. Il ne se laisse
pas bouleverser par une histoire de cloche qui appelle: «Maman!» Hae-sung
a le cœur plus sensible. Jong-Ryol,
maintenant, la protégera. La prenant
par l'épaule, il l'éloigne de la cloche et
de sa triste histoire.

De là, ils vont vers le temple de
Polgok-sa. Ils ne sont pas les seuls
amoureux. Des centaines de jeunes,
comme eux, sont venus de toutes les
régions de la Corée se recueillir au
temple. Les nouveaux mariés se promè-

nent main dans la main. Souvent ils s'arrêtent pour une photographie ou pour montrer du doigt une vue admirable qu'ils souhaitent se rappeler durant toute leur vie. Ce temple a été construit par des architectes qui ont travaillé comme s'ils avaient bâti le ciel.

Après avoir franchi la première porte toute festonnée de fleurs chatoyantes, Hae-sung et Jong-Ryol entrent dans le royaume de Bouddha. Les toits profilés sur le ciel clair ont l'élégance des jonques sur l'eau tranquille. Ils ressemblent aussi à des tentes joliment galbées. Le temple s'inspire d'un jardin luxuriant. Les colonnes sont des tiges, les corniches des bouquets touffus; les frises, les denticules, les billettes, les modillons, sont peints telles des fleurs vives.

Le temple s'élève sur des terrasses en pierre posées les unes sur les autres. L'escalier qui y mène est reconnu trésor national; la pierre en a été polie comme on répète une prière. Le monter, c'est quitter un peu la terre.

Jong-Ryol demande à un autre nouveau marié de les photographier devant cet escalier. Tout près coule la fameuse source d'eau de longue vie. C'est pour elle que les jeunes mariés sont venus de partout dans le pays. Si vous buvez de cette eau, vous vivrez dix ans de plus. Plusieurs couples attendent leur tour. Ils se ressemblent, ils sont jeunes. Ils sont beaux, elles sont belles; ils sont heureux, ils s'aiment et le soleil brille.

On doit faire selon la tradition. Hae-sung et Jong-Ryol observent les autres couples. Une jeune femme puise l'eau avec une écuelle et la tend à son mari qui boit. Ensuite le mari puise l'eau et l'offre à sa femme. Ils ont tant de ferveur dans les yeux que leurs vœux ne peuvent pas ne pas être exaucés. Ils vivront, ils s'aimeront dix ans de plus.

Selon le rite, Hae-sung tend l'écuelle à Jong-Ryol. Il boit. La magie de l'eau lui donnera dix ans de plus. Il sent dans son corps une force supplémentaire. Il regarde sa femme: «Nous nous aimerons dix ans de plus.» Hae-sung boit à son tour. Elle regarde son mari dans les yeux, mais des larmes embrouillent sa vue. Ils ont arraché à la mort dix années. Leur vie aura dix ans de plus que ce que la fatalité avait décidé pour eux. Elle a le cœur qui bat trop fort. Elle vient d'être touchée par un miracle.

Se tenant par la main, doigts entre-croisés et serrés, frémissants, heureux, bouleversés, Hae-sung et Jong-Ryol s'orientent vers la statue de Bouddha, devant qui ils veulent se prosterner. Plus ils s'en approchent, plus ils sentent sa présence.

Tout à coup Jong-Ryol abandonne la main de sa jeune femme et dit:

— Je reviens!

— *Mou laï yo* (Je ne comprends pas).

Le jeune homme descend en courant l'escalier. Il a oublié que l'escalier est sacré. Hae-sung l'attend. Que prépare-t-il? Elle voudrait qu'il soit là pour voir en même temps qu'elle la pagode de Tabot'ap. Hae-sung connaît sa triste histoire. L'architecte de ce monument venait d'un pays étranger. Il s'appelait Asadal. Un jour, il a perdu sa très jeune femme. De chagrin, Asadal est retourné dans son pays et on n'a jamais revu ce bel architecte dont le nom fait encore frémir le cœur des jeunes Coréennes. Que ferait Hae-sung si elle perdait Jong-Ryol?

Le voici qui revient essoufflé. Il exhibe une bouteille:

— J'ai pris de l'eau. Mes parents sont vieux, et s'ils buvaient de l'eau de la source miraculeuse, ils pourraient vivre dix ans de plus.

Quelle bonté, songe Hae-sung, remplit le cœur du jeune homme qu'elle aime.

Il faut faire vite maintenant. Jong-Ryol l'arrache à la contemplation de la pagode. D'escaliers en terrasses, ils atteignent un beau sentier. À chaque pas, elle s'arrête pour admirer les ginkgos où s'abritent les pavillons du temple. Les collines sont habillées de mélèzes, de genièvres, de lilas, de seringas et d'azalées.

Enfin, les voici à la grotte de Sokgulam où se tient une statue géante de Bouddha, ce dieu paisible, calme à l'élégance grassouillette. Hae-sung et Jong-Ryol s'agenouillent et se prosternent le visage contre terre. Jamais de leur vie ils n'oublieront cet instant.

L'âme encore toute réjouie de la paix de Bouddha, les nouveaux mariés reprennent la route dans leur voiture fabriquée à leur usine. Ils habiteront, à Séoul, un appartement que leur loue la compagnie. Demain il retournent à l'usine. Ils travailleront comme avant, mais maintenant ils sont mariés. Hae-sung est trop heureuse.

— Redis-moi l'histoire de la cloche qui appelle: «Maman!»

Ils roulent lentement. Beaucoup de voitures rentrent vers Séoul, trop de voitures. Le soleil déjà redescend derrière les collines; il étend une lumière grise sur les monticules où dorment les morts. En Corée, on n'ensevelit pas les morts dans un cimetière mais aux flancs des collines, le long des routes.

Jong-Ryol dit:

— Comme tu le demandes, je vais te raconter l'histoire de la cloche qui appelle: «Maman!»

Il parle comme s'il avait vécu l'événement:

— Un roi très ancien, Hyosong, avait commandé à son fondeur de lui fabriquer la cloche la plus haute, la plus large de tous les royaumes qu'il connaissait. Cela se passait il y a plus de mille ans. Avec ses apprentis, le fondeur commença à travailler; il passa de longs mois à préparer le moule. Puis il fondit des tonnes de bronze très pur. Coulé dans le moule, le bronze liquéfié refusait de durcir. La cloche restait liquide. Le fondeur était le meilleur artiste de son temps. S'il ne réussissait pas à produire la plus belle, la plus grande cloche, il serait chassé par le roi. Ayant perdu fortune et honneur, il devrait se jeter à la mer. Après plusieurs années, d'efforts et d'échecs, le fondeur désespéré alla demander secours à Bouddha. Après ses prières, il eut un songe qui lui enseigna comment réussir à former la plus belle cloche du monde. Il se remit au travail. Quand le bronze bouillant fut prêt à être coulé dans le moule délicatement ouvragé, ainsi que lui avait montré le songe, il prit, dans ses grosses mains noircies, sa dernière fillette et jeta le petit corps nu dans le bronze en fusion. Le bronze se figea dans le moule et forma la plus parfaite cloche de tous les royaumes. Lorsque le fondeur la fit sonner pour l'écouter, la cloche avait la voix de l'enfant qui appelait: «Maman!»

Hae-sung n'a pas encore d'enfant, mais elle ne laisserait jamais Jong-Ryol jeter son enfant dans le métal bouillant, à l'usine. Jong-Ryol ne jetterait jamais non plus son enfant dans le bronze... Puis il ne fabrique pas des cloches mais des voitures: les meilleures du monde! Il est si fort. Peut-elle savoir ce qu'il pense vraiment dans ses silences? S'il ne réussissait pas à accomplir ce qui lui a été commandé, accepterait-il de sacrifier un enfant? Non, réagit Hae-sung,

nous sommes dans la Corée d'aujour-
d'hui et non plus dans la Corée des
légendes.

Elle observe le jeune homme avec qui
elle vivra toute sa vie. Il regarde loin
devant lui, il est beau. Elle l'aime. Elle
voudrait vivre toujours. Elle voudrait
que leur vie ensemble ne cesse jamais.
C'est la prière qu'elle a faite devant le
grand Bouddha.

Parce qu'ils ont bu l'eau de Polgok-
sa, ils vivront dix ans de plus. S'ils
buvaient encore de l'eau de Polgok-sa,
peut-être vivraient-ils encore plus longtemps... S'ils buvaient cette eau miraculeuse qu'ils apportent dans une
bouteille au lieu de la donner à leurs
parents qui sont déjà vieux, en ce point
de la vie où les vieillards veulent fer-
mer les yeux parce qu'ils ont tout vu...
Jong-Ryol et Hae-sung sont si jeunes.
Ils n'ont fait que les premiers pas dans
le chemin de la vie; ils s'aiment. Boud-

dha, dans sa grotte, leur a souri. Ils ont
faim de vivre longtemps. Jong-Ryol
devine la pensée de sa femme. Elle a
deviné la sienne. Ils s'aiment tant qu'ils
n'auraient pas besoin de se parler.

— Je voudrais que tu vives 100 ans,
dit-il.

— Je voudrais que nous soyons
éternels, dit-elle.

Doucement, elle tire du sac la bouteille d'eau miraculeuse puisée à la
source de Polgok-sa. Elle dévisse le
bouchon. C'était pour les parents, mais
ils sont si vieux déjà... Elle tend la bouteille à Jong-Ryol qui boit, le regard
loin devant eux. Il donne le reste à
Hae-sung. Elle boit à son tour. Ils
s'aiment et ils vont vivre ensemble
longtemps.

La voiture roule vers Séoul. Demain,
ils revêtiront leur vêtement de travail.
Le soleil est presque disparu derrière les
collines, mais le ciel n'est pas encore

noir. Ils voient les tertres où dorment les morts.

Hae-sung et Jong-Ryol s'aimeront longtemps. Leurs parents iront bientôt dormir dans la colline. Ils sont si vieux.

Hae-sung et Jong Ryol sont jeunes. Ils vont vivre ensemble de longues années. Pourtant ils sentent en leur âme une pointe de tristesse.

Loan s'enfuit
du Viêt-nam

Mon père, dit Loan, n'aimait pas les communistes qui l'avaient envoyé planter du riz dans un village très éloigné après nous avoir chassé de notre maison. Notre famille a été relogée dans un quartier malpropre. Nous avions peur de sortir dans la rue. J'étais petite, en ce temps-là, mais je savais que mon père était un professeur d'université et non pas un planteur de riz. Les communistes s'étaient emparés de tout ce que nous avions. Un jeune soldat avait mis ses deux pieds sur ma poupée et il portait de grosses bottes de cuir.

Pendant longtemps nous n'avons pas eu de nouvelles de mon père. Nous ne savions pas où il était. Ma mère disait: «Si les communistes l'ont tué, j'espère qu'ils ne l'ont pas torturé.» Moi, je pleurais parce que les communistes l'avaient emmené.

Toutes les familles que nous connaissions avaient souffert à cause des communistes qui faisaient du mal à tout le monde. Ils disaient qu'il fallait guérir le Viêt-nam de sa gangrène capitaliste. J'allais à l'école; j'étais prête à souffrir pour mon pays puisqu'il le fallait, mais je détestais les communistes parce qu'ils avaient, je pensais, tué mon père. Pourtant il finit par revenir.

Je ne l'ai pas reconnu. Nous avons eu peur en apercevant cet homme vieux, les cheveux tout blancs, maigre comme s'il était mourant. Il a annoncé qu'il était notre père. Seule ma mère l'a reconnu, mais elle ne parlait pas, tant elle avait de chagrin. Mon père avait été battu et privé de nourriture; les communistes lui demandaient plus de travail qu'aux fermiers parce qu'il était intellectuel. Il avait attrapé une maladie dans les rizières et il toussait beaucoup. Quand il fut rétabli, les communistes l'ont repris, à l'université, mais non comme professeur. Auparavant mon père était le doyen de la faculté de philosophie. C'était terminé. Les communistes lui ont mis une louche dans les mains et il servait la nourriture derrière le comptoir de la cafétéria.

Mon père détestait les communistes à cause du mal qu'ils faisaient au Viêt-nam. Il ne pouvait confier son sentiment à personne parce qu'il aurait pu être trahi. Les communistes récompensaient les délateurs. Chacun craignait tant d'être soupçonné qu'il s'empressait de dénoncer son voisin ou son frère, son mari ou sa femme, pour se donner l'apparence d'être dévoué aux communistes. Mon père disait qu'il était content de travailler à la cafétéria pour nourrir les jeunes Vietnamiens parce qu'ils sont l'avenir du pays. Il ne nous disait pas qu'il détestait les communistes. Il avait même peur de nous, ses enfants. Nous aurions pu le dénoncer. À l'école, nous étions formés selon les principes des communistes.

À la maison, mon père nous enseignait le français et l'anglais. Les communistes n'aimaient pas ces langues parce que les Français et les Américains avaient été leurs ennemis. Mon père nous assurait que les langues sont les clefs du monde.

Quand j'ai eu 17 ans, mon père m'a annoncé:

— Loan tu es grande maintenant, tu vas partir et nous irons te rejoindre quand tu seras dans un pays libre.

Je ne savais pas ce qu'était un pays

libre. Je crois que vous ne le savez pas non plus si vous avez toujours habité un pays libre. Je n'ai plus peur depuis que je suis en Amérique. Un pays libre est un pays où personne n'a peur.

Mon père m'a donné un petit rouleau de billets bien serrés. Ma mère avait réussi à cacher cet argent aux communistes. C'était des économies que mon père avait faites avant la venue des communistes. Mon père a dit aussi:

— Loan, tu es notre espoir; c'est toi qui vas sauver la famille. Nous te préparons depuis longtemps.

Ma mère m'a remis un baluchon où elle avait plié quelques vêtements. Sans beaucoup parler, nous avons attendu que les lumières aux fenêtres de la rue soient éteintes. Toute ma famille était réunie. Nous n'avons pas beaucoup mangé, puis nous avons prié un peu Bouddha.

Ensuite je suis partie, les larmes aux yeux. La nuit était si paisible. Je ne savais pas si j'allais revoir ma famille. J'entendais les chiens japper au loin. Je faisais attention pour marcher très légèrement, mais il me semble que mes pieds faisaient beaucoup de bruit. J'avais peur parce que c'était la nuit, parce que je ne savais pas ce qui allait m'arriver, parce que je quittais ma famille pour la première fois. J'avais surtout très peur des policiers.

J'ai marché jusqu'au matin. Arrivée à un village de pêcheurs, je cherchai Nguyen comme mon père me l'avait dit. Nguyen me demanda si j'avais de l'argent; je dis oui. Il a saisi mon rouleau de billets, il a pris tout ce qu'il voulait. Puis je l'ai suivi.

Au port du village, il n'y avait qu'un petit bateau d'amarré: le sien. Nguyen a dit:

— Tu es la dernière. Tu n'aurais pas

dû être en retard. C'est la nuit qu'il faut partir.

J'ai dit:

— J'ai marché le plus vite que je pouvais et je n'ai pas dormi.

Tout à coup, beaucoup de personnes sont apparues sur le quai. Elles avaient toutes des baluchons. Nous sommes montés dans le bateau qui a commencé de s'enfoncer parce que nous étions trop nombreux. Il n'y avait pas de place pour tout le monde. Certains ont dû mettre leurs jambes et leurs pieds par-dessus bord et les laisser tremper dans l'eau. Il y avait aussi une sorte de dais pour se protéger du soleil. Nguyen a donné aux plus petits la permission de s'asseoir sur le toit. Nous étions serrés les uns contre les autres. On a pensé abandonner nos baluchons, mais Nguyen a dit qu'il fallait tout garder au cas où des pirates viendraient. S'ils ne trouvent rien à prendre, les pirates se fâchent et vous tuent. On a réussi chacun à trouver sa place; coincés, on avait les bras et les jambes entrelacés.

Quand je respirais, je sentais le coude de mon voisin s'enfoncer dans ma poitrine. Nous étions 37 personnes, dont cinq enfants et trois bébés. Si nous avions été 12, nous aurions déjà été trop nombreux. En plus, il y avait Nguyen qui tenait le gouvernail. Plusieurs trouvaient que son moteur prenait trop de place, mais le moteur était bien plus important que nous tous.

Quand la barque a quitté le quai, tous, nous avons crié ensemble comme si déjà nous étions sauvés. Après j'ai pleuré, parce que je quittais le Viêt-nam pour ne jamais revenir. À mesure que la barque avançait dans la mer, j'essayais de bien regarder pour me rappeler tout ce que je voyais.

Puis la mer a commencé d'être forte.

Notre barque était secouée. Ceux qui étaient juchés sur le toit ont été jetés à la mer quand une vague nous a presque renversés. On les a vus nager dans la houle. Nguyen n'a pas voulu les reprendre: il avait peur qu'ils s'agrippent au bateau, et le fassent basculer. Dans la barque, quelques-uns étaient malades. Parce qu'ils ne pouvaient pas bouger, ils vomissaient sur les autres.

On aurait dit que la mer était fâchée contre nous. Elle lançait des vagues plus hautes que notre bateau. Au ciel, le soleil était très fort. Nous cuisions... comme des petits poulets! La barque montait, retombait, penchait d'un côté, puis de l'autre. Nous étions étourdis. Ma tête tournait, et moi aussi j'ai vomi. Tout le monde vomissait. J'essayais de prier mon Bouddha, mais j'étais trop malade. Alors j'ai pleuré. Tout le monde pleurait aussi. Il y en a qui criaient et qui voulaient retourner chez les communistes. Deux ont décidé de retourner à la nage, mais nous étions loin du rivage. On ne voyait plus le Viêt-nam.

Derrière moi, collé dans mon dos, se trouvait Huong qui avait mon âge. Nous avons commencé à parler et nous ne nous sommes plus arrêtés. Il m'a raconté toute sa vie. Je lui ai raconté toute la mienne. Si l'un de nous n'arrivait pas au port, l'autre serait responsable de faire venir sa famille et de lui donner un pays libre: nous fîmes cette entente.

Pendant quatre jours et quatre nuits, nous avons été ballottés dans notre barque. J'aurais voulu mourir tout de suite parce que j'étais sûre de ne pas arriver vivante. Il n'y avait rien à manger ni rien à boire. Nguyen avait décidé de jeter l'eau et la nourriture pour alléger notre poids. La mer, en colère, paraissait travailler pour les communistes. Je

parlais avec Huong et je priais Bouddha.

Nous avons été abordés par des pirates. Ils avaient de grands couteaux.
Je n'avais pas peur. S'ils m'avaient
tuée, je n'aurais plus été malade et je
n'aurais plus eu faim. Ils nous ont arraché nos baluchons, nos bijoux. Ils ont
trouvé mon mince rouleau de billets.
Ils ont tout pris, mais ils ont été gentils: ils ne nous ont pas violées. J'ai
remercié Bouddha. Avant de partir, les
pirates nous ont donné du riz mais pas
d'eau: alors on a trempé une poignée
de riz dans l'eau de mer. Et j'ai eu
encore plus soif.

La tempête a continué, mais au loin
j'ai aperçu la côte de la Malaisie. J'ai
dit à Huong que nous étions sauvés.
Dès que nos pieds toucheraient la terre,
nous serions dans un pays où les communistes ne sont pas les maîtres. Nous
aurions quelque chose à manger. La

mer déjà se faisait plus calme. Un bateau s'est approché de nous. C'était un garde-côte de Malaisie. Des marins ont attaché un câble à notre barque. J'ai dit à Huong:

— Ils vont nous aider à atteindre plus vite la côte.

Au lieu de cela, le garde-côte a tiré notre barque vers le large. Les Malais nous repoussaient vers la mer. Ils nous refusaient l'entrée dans leur territoire. Ils nous ont tirés le plus loin qu'ils pouvaient. J'avais une lime à ongles que les pirates m'avaient laissée; aussi, ai-je entrepris de couper le câble, fil à fil. Et j'ai réussi: le câble a cassé.

La mer était encore plus mauvaise, mais parce que nous avions vu la côte de Malaisie, personne ne se sentait plus malade. Nous savions qu'elle était proche, même si on ne voyait que de grosses vagues qui cognaient contre notre bateau. L'eau nous brûlait la peau à cause du sel et du soleil. La rive était là devant nous. Nous serions sauvés.

Nguyen a remis le cap sur la Malaisie. Après beaucoup de vagues et beaucoup de secousses, j'ai revu la rive. En même temps, j'ai aperçu le bateau de la garde côtière. Huong m'a dit:

— On ne sera jamais sauvés!

J'ai répondu:

— Si on ne le croit pas, on ne le sera pas. Il faut croire. Nos familles croient.

À ce moment-là, la mer s'est soulevée. Notre barque est retombée dans un trou très profond, entre les vagues. Je priais Bouddha. Huong m'a dit:

— Si on atteint la terre, je voudrais que tu deviennes ma femme dans le pays de la liberté.

J'ai dit:

— On va aller ensemble en Amérique.

Notre barque, remontée très haut par une grosse vague puis frappée par une

autre, s'est renversée. Je priais Bouddha et je nageais. Je nage bien, mais
la mer était si forte. Elle essayait de
m'écraser. Je ne voyais personne.
J'étais seule dans la mer. Je ne savais
plus de quel côté était la Malaisie. Je
nageais et j'appelais Bouddha. Je pensais que tous les autres s'étaient noyés.
J'avais envie de me laisser emporter
avec eux vers le fond. J'ai pensé à ma
famille, j'ai pensé au pays de la liberté
qu'elle ne verrait jamais si je n'arrivais
pas à terre. Et j'ai recommencé à nager.
Tout à coup, près de moi, j'ai vu
Huong sortir d'une vague. Il m'a saisi
la main. Une autre vague l'a recouvert.
Je ne l'ai pas revu. Moi, j'ai nagé,
nagé, nagé. Je ne priais plus. Je nageais.

Le bateau de la garde côtière m'a
repêchée. J'étais une naufragée. La loi
de la Malaisie permettait que je sois
amenée sur son territoire. J'ai pensé à

ma famille. J'ai pensé au pays de la liberté. On m'a conduite dans un camp de réfugiés, derrière une très haute clôture.

Là, c'était comme une ville. Il y avait des milliers de personnes et seulement des cabanes de bambou et beaucoup de soldats. On dormait sur le sol. Il n'y avait pas assez de cabanes pour tout le monde ni assez d'eau non plus, excepté quand il pleuvait. Alors les rues devenaient des rivières, mais l'eau n'était que de la boue. Beaucoup tombaient malades. Des camions apportaient de la nourriture, mais il n'y en avait jamais assez pour tous. Je savais où étaient mes parents, mais eux ne savaient pas où j'étais. Ils devaient être bien inquiets. J'aurais mieux aimé être avec eux dans mon pays, au Viêt-nam. Je pensais aussi à Huong. Parfois je me disais que j'aurais mieux aimé être comme lui au fond de la mer. D'autres fois je me disais que Huong aurait mieux aimé être à ma place sur la terre. Je ne savais pas ce qui allait arriver. J'étais encore loin de l'Amérique... Allais-je y parvenir un jour? Peut-être me retournerait-on au Viêt-nam? Là, je serais punie par les communistes.

J'ai été très malade. Tout le monde était très malade. Des infirmières nous soignaient, mais elles ne pouvaient pas s'occuper de tout le monde. Il y a eu des morts. Dans la cabine où je dormais, on a trouvé un mort le matin.

Une fois guérie, j'ai enseigné à lire à une petite fille. Ensuite, je lui ai appris des mots de français et d'anglais. Je n'ai plus été malade. À la fin, j'avais une classe de 40 élèves, des enfants et des parents.

Des Américains sont venus un jour, avec des formulaires. J'ai répondu à leurs questions, j'ai rempli tous les pointillés, j'ai coché toutes les cases.

J'ai dit pourquoi je voulais aller en Amérique, pourquoi je m'étais enfuie du Viêt-nam. J'ai dit que je voulais la liberté pour moi et pour ma famille qui ne savait pas si j'étais encore vivante.

Après plusieurs mois, quelqu'un est venu me dire qu'une famille américaine voulait m'adopter. Ils ont été très gentils pour moi; ils m'ont donné plus de choses qu'à leur propre fille. Je n'aime pas cela: je suis gênée; je serais heureuse s'ils me donnaient un peu moins. Ce sont eux qui m'envoient à l'université. Quand je travaillerai, je ferai venir toute ma famille. J'espère que mon père n'est pas mort à cause de sa peine.

Mes parents américains sont bons comme de vrais parents: les miens étaient plus sévères. J'essaie de ne pas faire de mal: eux ils pensent que tout ce que je fais est bien. Seulement, ils voudraient que je me convertisse. Ils voudraient que je devienne chrétienne.

Ils me demandent de prier leur Jésus.
Je ne sais pas...

C'est mon Bouddha qui m'a sauvée.
Est-ce que je peux dire à mon Bouddha: «Tu m'as sauvée la vie, tu m'as
emmenée au pays de la liberté. Merci.
Maintenant, je vais prier Jésus.» Si
Bouddha m'a sauvée, il va pouvoir
aussi sauver ma famille.

Les amoureux
du Pakistan

Je n'oublierai jamais les amoureux du Pakistan: Bano et Gul Rehman. Je dois parler d'eux au passé, car ils sont morts à 15 ans. À cause d'une antique tradition, ils sont morts parce qu'ils s'aimaient.

Bano et Gul Rehman vivaient dans un village où la terre était sèche. Chaque jour, ils avaient dans le ventre une faim qui brûlait un peu, mais ils croyaient que la vie était ainsi faite. Ils n'étaient pas malheureux. Bano aidait sa mère aux travaux de la maison. Elle s'occupait des jeunes enfants, allait au ruisseau laver le linge, balayait le plancher de terre dans la maison et portait la nourriture aux hommes qui travaillaient dans le champ. Ainsi elle apprenait les tâches des femmes. Elle atteindrait bientôt l'âge du mariage et saurait ce qu'une femme doit savoir pour être la servante de son mari. Elle n'allait pas à l'école. Pourquoi l'y aurait-on envoyée? Sa mère n'avait jamais fréquenté l'école et savait tout ce qu'une mère doit savoir. N'élevait-elle pas 11 enfants qui tous avaient du respect pour le Prophète? Dans les écoles, on fait parfois bien du tort aux enfants: ils deviennent insoumis et apprennent à mépriser leurs parents.

Gul Rehman était déjà allé à l'école pendant quelques jours. Il s'était trouvé avec des plus petits qui, eux, savaient déchiffrer les signes du professeur au tableau noir. Il n'avait pas aimé que les plus petits sachent ce qu'il ne savait pas. Pourquoi se serait-il forcé à retenir ces signes entortillés? Il y avait de choses plus amusantes. Gul Rehman préférait rester à la ferme, donner le grain aux poules, ramasser le bois sec et, surtout, suivre les hommes et les écouter parler. Ils connaissaient tant de personnes et tant de choses... Certains étaient même allés jusqu'à la ville.

Le père de Gul Rehman fut très heureux lorsque son fils refusa de retourner à l'école. Un homme du gouvernement était venu lui expliquer que son fils devrait apprendre à lire. Gul Rehman était un garçon intelligent, pensait son père; alors il n'avait pas besoin de savoir lire. Sans être jamais allé à l'école, son père n'avait-il pas élevé une belle famille? Il respectait l'enseignement du Prophète et il était un homme honnête. Le gouvernement essaie toujours d'obliger les honnêtes gens à faire ce qu'ils ne veulent pas. Gul Rehman apprendrait la vie avec les hommes.

Il aimait partir à l'aventure, le long de la route, vers le village. Il cherchait toujours à capturer un oiseau, à pêcher une carpe dans un canal. Il s'efforçait chaque jour de rapporter quelque chose à la maison. Il préférait par-dessus tout aller au marché vendre une poule, quelques œufs ou un oiseau. Il avait beaucoup écouté les vendeurs et il les imitait. Il réussissait bien au jeu de discuter le prix. Souvent, cependant, il ne rapportait rien à la maison. Il rentrait bredouille.

Bano n'habitait pas loin. Lorsque Gul Rehman flânait, il allait du côté de la maison des parents de Bano. Faisant semblant de chasser, il s'approchait de la clôture de jonc. Une fois, ils se sont rencontrés dans le sentier qui traverse les fermes. Gul Rehman a senti une longue chaleur se répandre dans tout son corps; son cœur battait trop vite. S'approchant de Bano, il ressentait une attraction bizarre. Il faillit perdre pied tant ses jambes étaient molles. Il a tourné la tête. Bano a échappé un court rire, vif, comme un oiseau surpris, et elle a tiré son voile sur sa figure. Le garçon a pu apercevoir ses yeux noirs. Il a presque trébuché ridiculement devant elle.

C'est au marché que Gul Rehman et Bano se parlèrent pour la première fois. Il portait sa tunique rouge. Il avait ce jour-là trois perroquets verts à vendre. Beaucoup de curieux s'arrêtaient devant la cage, parlaient aux perroquets indifférents, demandaient le prix des oiseaux et continuaient leur chemin. Ce n'était pas une bonne journée. Personne n'achetait. Ses perroquets allaient picorer tout son pain. Gul Rehman avait faim, mais il nourrissait ses perroquets car il les voulait joyeux pour la vente. S'il ne vendait rien aujourd'hui, son père n'accepterait pas d'excuses.

Gul Rehman se préparait pourtant quelques mensonges. Il ne cherchait qu'à s'éviter des coups de bâton. Il en avait déjà reçu parce qu'il avait menti; cette fois, il en recevrait s'il disait la vérité. Ces pensées retenaient son attention. Il n'avait pas remarqué la cliente en sari bleu qui contemplait ses perroquets. Elle ne leur parlait pas, elle leur souriait seulement. Il sursauta, comme pris en flagrant délit, quand elle dit:

— *Kitné pisi?* (Combien?)

C'était Bano.

— *Salam! Salam al Kum!* (Que la paix d'Allah soit avec toi!)

— Bano, tu n'es pas à la maison?

Ce n'est pas ce qu'il aurait voulu dire. Il aurait voulu trouver un compliment qui aurait fait rougir la jeune fille, mais il était si maladroit... Les maladroits n'ont qu'à apprendre... Il apprendrait, décida-t-il avec conviction:

— *Walekum Salam!* (Que la paix d'Allah soit avec toi!)

— Je retourne à la maison pour préparer le *nihari.*

— Tu es toute seule au marché?

— Ma mère n'a pas vendu ses poulets, et elle n'ose pas rentrer tout de suite. Il fait des colères terribles, mon père.

— *Muaf karen.* (Je regrette.)

— Alors je rentre toute seule et ma mère reste au marché.

— Non, je rentre avec toi: nous allons marcher ensemble.

— *Jaldi ao!* (Viens vite!)

Gul Rehman mit sur son épaule sa perche de bambou. À une extrémité il accrocha la cage où les perroquets becquetaient son morceau de pain; à l'autre, il accrocha le seau dans lequel il avait posé ses œufs. Tenant d'une main la perche sur son épaule, avec ses deux charges bien en équilibre, il quitta le

marché avec Bano. C'était la première
fois qu'il marchait en compagnie d'une
jeune fille. Son père allait certainement
rouspéter très fort en voyant qu'il
n'avait gagné aucune roupie. Marcher
seul aux côtés d'une jeune fille si jolie
valait bien de risquer quelques coups.

— *Kia hal hai?* (Comment vas-tu?)

Gul Rehman n'était pas habitué à
parler aux jeunes filles et il ne trouvait
rien à dire.

— *Thik thak*. (Je vais bien.)

Après ces mots, ils restèrent assez
longtemps sans parler. Ils étaient gênés
par ce silence qu'ils n'arrivaient pas à
briser. Ils marchaient ensemble et leur
âme était remplie d'un bonheur doux.
Le silence leur suffisait. Tout à coup
Gul Rehman proclama:

— Moi, je vais aller à la ville. Je ne
veux pas rester à la ferme. Il n'y a rien
à trouver ici. À la ville, on peut faire
fortune. La ville est pleine de gens qui

ont des voitures. J'aurai une bicyclette. Puis, je vais me marier.

— Tu n'as pas une idée sage dans la tête, Gul Rehman. Moi aussi je vais me marier, mais il faut qu'un garçon veuille me marier. En attendant, j'apprends les travaux d'une femme. Je sais préparer le repas. Aujourd'hui, les cousins de mon père sont venus l'aider à travailler au puits qui est sec. Alors j'aurai à préparer le *kebab* ce soir. Mon père doit le trouver aussi bon que celui de ma mère.

— Si tu cherches un garçon, Bano, moi je voudrais te marier.

— Cela ne te regarde pas, Gul Rehman. C'est l'affaire de mon père de me trouver un garçon.

— Alors je vais dire à ton père que je veux te marier.

À ce point, Bano disparut derrière la clôture de jonc. Aussitôt, il entendit des cris qui ressemblaient plus à des

jappements qu'à des paroles d'homme.
Gul Rehman voulut voir derrière la clôture. Comme il allait coller son œil sur
un trou, il aperçut un cousin de Bano
qui le surveillait. Alors il continua son
chemin.

Bano et Gul Rehman avaient été
aperçus ensemble; voilà pourquoi on
était en colère. Une jeune fille et un
jeune homme ne doivent pas faire route
ensemble. Jamais Gul Rehman ne s'é-
tait senti aussi inutile ni aussi triste.
Quand donc serait-il un adulte?

Chez lui, éclatèrent des cris comme
chez Bano. Il y eut des coups. Le dos
meurtri, humilié, et frustré, haïssant
l'injustice, Gul Rehman conclut que le
moment était venu de fuir à la ville.

À la ferme, il serait toujours battu,
humilié, injurié et il n'aurait jamais une
bicyclette. Les rues de la ville étaient
remplies d'automobiles, souvent con-
duites par des garçons de son âge. La

terre était pauvre et usée. Même son père le disait. Gul Rehman décida d'aller à Karachi. Il décida aussi de ne pas partir seul, mais d'emmener Bano avec lui. Il aimait cette jeune fille. Il n'accepterait plus qu'on la punisse. Comment pourrait-il lui parler? Une fois, il était allé voir un film: un jeune homme écrivait sur un papier à la jeune fille qu'il aimait et il cachait le papier sous un caillou. Gul Rehman décida d'utiliser ce truc. Un peu plus tard, il pensa qu'il ne savait pas écrire. Alors il chercha une autre idée.

Il attendit la nuit en préparant son plan: aller jusqu'à la maison de Bano, puis ramper sous la clôture, comme un serpent. Ramper dans l'ombre, sans éveiller les frères ni les sœurs ni les cousins ni son père, mais doucement réveiller Bano et se glisser ensemble vers la sortie. Ensuite, main dans la main, ils partiraient pour Karachi, sous le grand ciel. Dans trois jours, s'ils avaient de la chance, ils atteindraient la plus grande ville du monde.

Il rentra tôt se coucher dans la cahute. Il fit semblant de s'endormir aussitôt sur sa natte. Puis il écouta les autres s'endormir. Quand il fut assuré du sommeil de tous, il se tourna lentement sur ses genoux et sur ses mains pour marcher à la manière silencieuse d'un chat. Son père ronflait. Plus de danger d'être intercepté! À quatre pattes, il sortit à l'extérieur. Pour la saison chaude, le mur de toile avait été relevé. Gul Rehman n'avait maintenant qu'à courir chez Bano.

— *Gul Rehman, bas!* (arrête!) où vas-tu?

C'était la voix bourrue de son père. Comment le bonhomme pouvait-il ronfler et veiller en même temps?

Oh!, mentit le garçon, je rêvais. *Muaf karen.* (Je regrette.)

Gul Rehman ne partit pas cette nuit-là pour Karachi. Il fut plusieurs jours sans apercevoir Bano. Il continuait de chasser les oiseaux pour s'approcher le plus près possible de la ferme des parents de Bano. Il allait au marché et, pour s'y rendre, il suivait le sentier qui traversait la terre des parents de Bano. Il chantait très fort en allant et en revenant, mais la jeune fille qu'il aimait n'apparaissait jamais. L'aimait-elle encore? Partirait-elle avec lui à Karachi où ils auraient une bicyclette d'abord, puis une voiture, comme dans le film? Gul Rehman ramassait du bois pour le feu; il désherbait les sillons, ramassait les cailloux, veillait aux œufs. Son père le morigénait: Gul Rehman était paresseux! Gul Rehman n'avait pas surveillé la vache qui était partie paître chez le voisin. Il n'était pas malheureux car il aimait Bano. Jamais il n'avait vu une aussi jolie jeune fille de toute sa vie.

Jamais une aussi jolie jeune fille n'avait aussi longtemps marché avec lui.

Lorsqu'il retournait au marché, il se rappelait que Bano, dans son sari bleu, son *dupata* (foulard) jaune avait marché dans ce sentier avec lui. Il essayait de retrouver la trace de ses pieds nus dans la terre sèche. Parfois, il se sentait triste d'être seul. Son cœur se gonflait: non, il n'était pas seul puisqu'il aimait Bano. Accepterait-elle de quitter sa famille pour l'accompagner à Karachi? L'aimait-elle assez? Au lieu d'acheter une bicyclette, il achèterait tout de suite une voiture. Il y a tant d'argent dans les villes; il n'aurait qu'à le ramasser pour bourrer ses poches. S'il ne voyait plus Bano, était-ce parce que ses parents avaient appris son projet de l'emmener à Karachi? Les frères et les cousins de Bano le surveillaient.

Depuis qu'il aimait Bano, la tête de

Gul Rehman était pleine d'idées agitées comme des oiseaux en cage. Ce jour-là, il revenait du marché avec quelques roupies, sans regarder. Les images qui tournaient dans sa tête étaient son seul paysage. Bano, dans son sari bleu, venait.

— *Salam! Salam al Kum!* (Que la paix d'Allah soit avec toi!)

— *Walekum Salam!* (Que la paix d'Allah soit avec toi!)

— Gul Rehman, mon père m'a battue parce que j'ai brûlé la galette. M'emmèneras-tu un jour à Karachi?

— *Jaldi ao!* (Viens vite!)

Voici comment Gul Rehman, à 15 ans, devint un homme.

Avec quelques roupies dans son sac, il quitta la pauvre ferme paternelle pour aller à Karachi avec Bano, la plus jolie jeune fille qu'il avait jamais vue. Ils reviendraient dans une automobile et ils rempliraient de roupies toutes les mains tendues. Dans le coffre de la voiture, ils auraient des valises empilées, pleines de saris de toutes les couleurs que Bano porterait pour visiter les membres de sa famille.

Gul Rehman parlait sans cesse. Bano écoutait. Elle était craintive. Elle n'était jamais allée dans une ville. Elle n'avait jamais quitté son village. Elle n'avait jamais franchi la clôture de jonc sans demander la permission à son père. Voici qu'elle fuyait avec un beau garçon qui n'avait peur de rien. Lui non plus n'avait jamais vu Karachi, mais il connaissait tant de choses qu'une jeune fille ne pouvait connaître. Tout ce qu'il disait ressemblait à un rêve, mais cela pouvait aussi être vrai. Ni les frères de Bano ni ses cousins ne savaient parler comme Gul Rehman. Jamais Bano n'avait écouté quelqu'un de cette manière. Dans ses mots, il y avait une musique que le cœur de Bano entendait.

Depuis qu'ils étaient revenus ensemble du marché, elle n'avait pas dormi beaucoup. Couchée sur sa natte, elle rêvait de lui, éveillée. Son père lui avait interdit de sortir, mais elle se disait que Gul Rehman viendrait la chercher. Ce jour-là, le père de Bano souffrait d'une douleur à l'estomac. Il avait envoyé Bano chercher une poudre médicinale au village. Le père n'aurait jamais sa poudre puisque Bano se hâtait vers Karachi avec le jeune homme qu'elle aimait.

Ils marchèrent jusqu'à épuisement. Gul Rehman ne voulut pas prendre l'autobus, car il devait conserver ses roupies pour la ville; il réussit à convaincre un fermier de les laisser monter dans sa charrette. Gul Rehman conduirait la rosse pendant que le fermier dormirait. La plupart du temps, cependant, ils marchaient. Quand ils étaient trop fatigués, ils s'éloignaient de la route et trouvaient un arbre sous lequel s'allonger. Ils dormaient jusqu'à ce que quelqu'un les découvre et les chasse. Pour la nourriture, Gul Rehman avait les yeux vifs: il repérait au loin les arbres à fruits. Alors il quittait Bano et avançait dans les champs avec les mouvements souples d'un tigre qui chasse. Il revenait fier de sa cueillette. Bano ne cessait de sourire. Elle aimait le voir revenir, pourchassé par les fermiers qui le menaçaient.

Dans les villages qu'ils traversaient, c'était plus facile. Gul Rehman connaissait les marchés. Il savait comment voler. Ce n'était pas voler, disait-il, c'était seulement prendre ce qu'il fallait pour se nourrir. Il avait appris à Bano où se placer devant l'étal du vendeur pour poser des questions sur les prix. Quand les yeux du vendeur étaient dirigés sur la jolie Bano, les mains vives de Gul Rehman saisissaient fruits, fro-

mages, pains, morceaux de volaille.
Bano n'avait jamais autant mangé. Elle
était très fatiguée, mais c'était une
fatigue heureuse.

S'endormir en tenant la main de
Gul Rehman était un grand bonheur.
S'éveiller le matin, tout humide de
rosée, dans un champ ou sur le trottoir
d'un village, et apercevoir Gul Rehman: c'était la suite d'un beau rêve. Ils
étaient jeunes, ils étaient beaux, ils
allaient à Karachi et jamais plus ils ne
seraient houspillés par leurs parents. Ils
allaient à Karachi et ils seraient fortu-
nés comme le sont les habitants des
grandes villes. Gul Rehman était débrouillard, travailleur, fort. Bano l'a-
vait écouté raconter plusieurs fois le
film qu'il avait vu. Elle ne doutait pas
de la parole de son ami: ils reviendraient à la ferme dans une belle voiture. Et ils raconteraient tout ce qu'ils
auraient vu de merveilleux: les mos-

quées plus vastes que le village entier,
les édifices qui touchent le ciel, les fou-
les, toutes les choses à vendre au marché. Personne n'oserait plus crier d'in-
jures à Bano ni à Gul Rehman. On
écouterait simplement leurs récits. Les
hommes, avec respect, examineraient
leur voiture. Les femmes viendraient
effleurer du bout des doigts les beaux
saris de Bano. Et tous les deux ils s'ai-
meraient comme dans le film.

Voilà de quoi Bano et Gul Rehman
parlaient. Souvent, ils répétaient les
mêmes paroles, ils refaisaient le même
rêve, mais ils s'aimaient et tout leur
apparaissait neuf. La route n'était pas
trop longue, le sol sur lequel ils dormaient n'était pas trop dur. C'était
le début de leur vraie vie. Avant, ils
n'avaient qu'obéi. Maintenant, ils allaient où ils voulaient.

Étaient-ils partis depuis cinq jours?
Six? Davantage? Ils ne comptaient

plus. Leur village était si loin derrière. Ils commençaient déjà à l'oublier. Et soudain, ils se trouvèrent à Karachi.

Karachi! Jamais personne de leur famille n'avait vu cette ville. La rue était aussi large qu'une ferme entière. Les automobiles se bousculaient dans une fête de klaxons. Karachi! Personne de leur famille n'avait vu ces maisons, avec des centaines de fenêtres, si hautes. Eux voyaient tout cela! Ils auraient voulu avoir 100 yeux pour tout voir. À une seule intersection de la rue, plus de gens attendaient pour traverser qu'il n'y en avait dans leur village entier.

Ils se perdaient dans un parc, parmi un étalage de tapis étendus sur des cordes accrochées d'un arbre à l'autre. Ils s'attardaient devant des artisans assis sur le trottoir qui cousaient des chaussures, fabriquaient des costumes, martelaient des vases de cuivre ou construisaient de délicates marqueteries. Ils observaient les barbiers dans l'échoppe en plein soleil, sur la rue. Ils s'extasiaient devant des tisserands qui poussaient la navette. Un devin, voulant prédire leur avenir, les retint par le bras. Bano eut peur des yeux de cet homme et de sa barbe teinte en roux. Gul Rehman l'arracha au devin en criant:

— L'avenir sera beau pour nous si Allah le veut!

Des musiciens soufflaient dans des flûtes devant des corbeilles où des serpents balançaient la tête. Bano ne voulut pas s'attarder là. Elle connaissait les serpents et elle n'aimait pas les voir retenus dans des corbeilles. Gul Rehman l'emmena ailleurs. Il y avait à Karachi tant de choses.

Les autobus étaient fleuris de dessins comme des jardins aux couleurs vives. Ils brillaient. La foule se pressait pour y monter avec des sacs, des volailles, de la vaisselle, des cabas, des serviettes de cuir, des tuyaux de plomberie.

Parmi les voitures qui tentaient d'avancer, des tombereaux étaient tirés par une jument maigre, où s'entassaient des hommes avec des caisses, des paniers. Tous les véhicules étaient ornés de décorations colorées. Il fallait être beau pour venir à Karachi. Des scooters-taxis à trois roues fendaient la foule en klaxonnant. Entraînés par cette danse trop vive, Bano et Gul Rehman se tenaient par la main. Rien ne pouvait les séparer. Leurs doigts étaient noués. Dans cette grande ville de Karachi, ils étaient perdus, mais ils avaient déjà trouvé le bonheur. Ils ne savaient plus maintenant de quel côté était leur village. Avec cette foule autour d'eux qui bougeait et se bousculait dans tous les sens, avec ces rues qui s'emmêlaient, Karachi semblait tourner comme une

immense toupie. Ils étaient étourdis,
mais ne cessaient de marcher.

Tout à coup apparut devant eux,
dans un grand parc, le mausolée de
Quaid-e-Azam. Ils n'osèrent entrer. Ils
se crurent au paradis tant cet édifice
était beau. Ils se trouvèrent plus tard
devant une salle de cinéma. La foule
poussait contre la grille. En haut sur la
façade, des personnages sortis du film
étaient peints, grands comme des
géants. Un jour, ils iraient voir un film.
Gul Rehman expliqua à Bano comment
on voyait vivre des personnes vivantes
qui n'étaient pas réellement vivantes.
Bano ne comprenait pas, mais elle verrait. Depuis qu'elle accompagnait Gul
Rehman, elle avait vu tant de choses
nouvelles.

Combien de nuits avaient-ils dormi
à Karachi, serrés l'un contre l'autre
pour n'avoir pas froid, couchés dans
un parc, contre le mur d'une résidence,

ou sur le tas de sable d'un chantier de construction? Le sari de Bano était tout sale. Un jour, Gul Rehman l'avait promis, Bano porterait des saris comme elle en avait admiré dans les plus riches vitrines.

Ils volaient aux étalages, le long des rues, au marché ou dans les boutiques. Gul Rehman disparaissait vif comme l'éclair. Les commerçants n'avaient que le temps d'apercevoir sa tunique rouge.

Plus loin, Gul Rehman devenait lui-même vendeur. Aux passants, il offrait poulets, paniers, foulards, selon ce qu'il avait volé. Bano, assise près de lui, savait qu'elle ne souffrirait plus jamais de la faim, car il était courageux et débrouillard. Elle aurait tant aimé, cependant, avoir un endroit où dormir, un abri sous un toit.

Gul Rehman volait pour manger; il volait pour Bano et pour lui, sans jamais penser qu'il était un voleur. Le vol est défendu par la religion islamique. C'est un crime sévèrement puni, mais Gul Rehman volait comme l'oiseau picore. Dans cette grande ville, il ne connaissait personne, il était seul avec Bano et il était responsable d'elle. Elle l'aidait dans ses petites escroqueries, mais il n'aurait jamais accepté qu'elle vole: c'était son affaire.

Un jour il lui dit:

— Il y a des bateaux à Karachi. Je n'en ai jamais vu; cherchons-les.

Ils trouvèrent le port. C'était aussi grand qu'une autre ville. Des centaines de bateaux étaient accostés. Des milliers de travailleurs se hâtaient, chargés de colis, de caisses et de sacs. Gul Rehman serrait la main de Bano et l'entraînait entre des piles de sacs, des tas de marchandises. Il la guidait entre les bittes, les wagons aux odeurs lourdes, sous les bras puissants des grues qui bougeaient très haut au-dessus du port.

Ils s'attardèrent devant les bateaux. Gul Rehman était sûr maintenant qu'un bateau est plus beau qu'une voiture. Un jour, ils iraient sur la mer, dans des pays lointains comme l'Amérique où des cousins étaient partis pour ne jamais revenir.

— Bano, viendras-tu avec moi?

Elle secoua la tête d'un geste affirmatif. Bano était prête à le suivre partout. Elle le lui disait la nuit, quand il était tout serré contre elle.

Une file d'hommes transportaient des sacs sur leur dos, l'un derrière l'autre, d'un wagon à un bateau et revenaient par une autre passerelle au wagon pour reprendre un autre sac et recommencer le manège. Cela ressemblait à des fourmis pressées que l'on voit en rangs bien ordonnés sur le sable. Nu-pieds, la tunique agitée par le vent, le turban mouillé par la sueur, ces hommes couraient sous leur fardeau.

— Hé, toi, veux-tu travailler?

Un homme à la barbe noire, qui tenait un crayon et une tablette, l'appelait. Travailler? Oui, Gul Rehman voulait. L'homme à la barbe noire nota son nom et le poussa dans la file des hommes courbés sous leur fardeau.

Bano trouverait du travail dans une maison de riches car elle connaissait toutes les tâches des femmes. Qu'ils étaient contents d'être venus voir les bateaux! Gul Rehman saisit un sac pour le poser sur ses épaules. Le sac était lourd. Il avait observé comment faisaient les hommes. Même s'il chancela sur ses jambes, il fit comme les hommes. À la fin de la journée, il aurait des roupies. Une main lui saisit le bras. C'était son père.

Sa main serrait le bras de Gul Rehman comme s'il avait voulu en briser l'os. Gul Rehman aperçut aussi ses frères et plusieurs cousins. Il reconnut aussi le père de Bano, ses frères et des cousins. Bano pleurait. Elle fut bousculée, poussée dans un tombereau où montèrent les membres de sa famille. Gul Rehman fut hissé et jeté dans le tombereau de son père. Les frères, les cousins les rejoignirent. L'un derrière l'autre, les deux équipages se mirent en branle. Ils traversèrent Karachi par des rues et des marchés que Gul Rehman et Bano connaissaient bien.

Le père du garçon ne disait mot. Les frères et les cousins cependant ne cessaient de le harceler, de l'injurier parce qu'il avait fui le travail à la ferme, parce qu'il avait enlevé une jeune fille à une famille honorable, parce qu'il avait humilié la famille en devenant voleur à Karachi, parce qu'il avait trahi la sainte religion et sali la réputation d'une jeune fille.

Des mots, la famille passa aux coups. Gul Rehman ne pouvait savoir ce qui arrivait à Bano. Son tombereau suivait et il n'osait se retourner. Le voyage était si lent! On semblait ne jamais devoir arriver à la ferme. Finalement, on y fut après plus de deux jours de route.

Tout ensuite se déroula très vite. Gul Rehman fut jeté en bas du tombereau. Sa mère sortit de la maison et proclama qu'elle ne voulait plus être la mère d'un malfaiteur qui avait sali l'honneur d'une jeune fille, jeté la honte sur la famille et qui s'était conduit comme un païen. Son père le poussa contre un arbre, l'attacha et, sans un mot, il égorgea son fils, d'un coup de couteau, selon une antique tradition.

Gul Rehman ne sut jamais que, dans la ferme voisine, Bano fut aussi attachée à un arbre et égorgée par son père.

Sommaire

Deux acteurs tchécoslovaques
dans une boîte 5

L'eau de Polgok-sa 23

Loan s'enfuit du Viêt-nam 39

Les amoureux du Pakistan 57

Collection

Lectures-ViP

Cette collection regroupe les plus beaux textes littéraires publiés dans la revue **Vidéo-Presse.** *Écrits par nos meilleurs écrivains québécois pour les jeunes, ces textes expliquent et décrivent l'imaginaire des adolescents, suscitent réflexions et initiatives, et évitent les prescriptions idylliques.*

1. PAS ENCORE SEIZE ANS..., Paule Daveluy

2. ...ET LA VIE PAR DEVANT, Paule Daveluy

3. NE FAITES PAS MAL À L'AVENIR, Roch Carrier

4. LA FLEUR ET AUTRES PERSONNAGES, Roch Carrier

5. LES SAMEDIS FANTASTIQUES, Madeleine Gagnon

6. MAUVE ET AUTRES NOUVELLES
   Bertrand Bergeron — Marie-Andrée Clermont
   Pierrette Dubé — Cécile Gagnon — Mario Normandin

7. COEURS MALADROITS ET AUTRES NOUVELLES
   Ninon Larochelle — François Miville-Deschênes
   David Schinkel et Yves Beauchesne — Marc Sévigny
   Robert Soulières

8. ENFANTS DE LA PLANÈTE, Roch Carrier

9. UN MONDE GROUILLANT, Madeleine Gagnon

10. L'EAU DE POLGOK-SA, Roch Carrier

Imprimerie des Éditions Paulines
250, boul. Saint-François Nord
Sherbrooke, QC, J1E 2B9

Imprimé au Canada — Printed in Canada